Lili a
du cheval

Série dirigée par Dominique de Saint Mars

© Calligram 2010
Tous droits réservés pour tous pays
Imprimé en Italie
ISBN : 978-2-88480-561-2

Ainsi va la vie

Lili a la passion du cheval

Dominique de Saint Mars

Serge Bloch

CALLIGRAM

CHRISTIAN ○ ALLIMARD

7

8

Tu es déjà montée à cheval, Lili ?

Euh... non, jamais... Mais j'en rêve !

Viens chez moi, à la campagne. J'ai un double-poney, tu pourras le monter !

Tu ne vas tout de même pas passer le week-end chez notre pire ennemie !

T'inquiète, elle ira pas !

Elle a des défauts, Valentine, mais au moins, elle a une passion !

Moi, ma passion, c'est mes copines !

Moi, j'ai deux passions, les garçons et les gâteaux ! Euh non... les gâteaux et les garçons !

Moi... euh... c'est top secret !

9

10

11

12

13

* Bonne position du corps, quand le centre de gravité du corps est bien placé par rapport au mouvement du cheval.

15

16

Si elle continue comme ça, elle sera championne olympique, notre Valentine !

En tout cas, je fais tout pour ! Hum... enfin, je veux dire : elle fait tout pour !

LE LENDEMAIN MATIN...

20

22

23

25

26

29

* Protections pour le tibia que l'on met avec des bottines.

31

* Retrouve-les dans *Lili veut un petit chat* et dans *Le chien de Max et Lili est mort*.

TAP TAP

37

40

Et toi...

Est-ce qu'il t'est arrivé la même histoire qu'à Lili, ou non ?
Réponds aux deux questionnaires…

SI TU AS LA PASSION DU CHEVAL...

Tu ne penses qu'au cheval ? Tu adores ça ? Partager avec lui les sensations, la vitesse, le grand air ?

Tu aimes t'en occuper ? Tu le trouves affectueux, avec son caractère à lui ? Il te reconnaît et te comprend.

Tu aimes être sur un animal puissant qui accepte de t'obéir ? Tu te sens plus fort(e) avec sa force à lui ?

Tu aimes les compétitions ? Tu veux gagner ?
Pour toi ? Pour tes parents ?

Ça t'est arrivé d'avoir peur ? de tomber ? de rater ?
Tu as réussi à surmonter ta peur ?

C'est trop compliqué d'en faire ? trop cher ?
Tu en rêves ? Tu lis des livres qui parlent de chevaux ?

Sɪ ᴛᴜ ɴ'ᴀѕ ᴘᴀѕ ʟᴀ ᴘᴀѕѕɪᴏɴ ᴅᴜ ᴄʜᴇᴠᴀʟ...

Tu as eu la passion du cheval mais tu ne l'as plus ?
Ça a été remplacé par d'autres amours ?

Tu as eu une mauvaise expérience ? Maintenant,
les chevaux te font peur ? Tu ne veux pas réessayer ?

Tu admires ceux qui en font ou bien ça t'énerve ?
Tu te sens exclu ? Ta santé t'empêche d'en faire ?

As-tu une passion ? ou aucune ? Ça te gêne ?
T'intéresses-tu à tout ? Sais-tu ce que tu n'aimes pas ?

Tu penses que les animaux sentent tout et doivent être
bien traités mais tu préfères les humains ?

Aimes-tu d'autres animaux ? Ou aucun ?
As-tu plutôt envie de sauver les animaux ?

**Après avoir réfléchi
à ces questions
sur la passion du cheval,
tu peux en parler
avec tes parents ou tes amis.**